蒙學善本

國家圖書館藏·蒙學善本

# 書言故事大全

第五册

鳳凰出版社

守口如瓶

碧梧翠竹

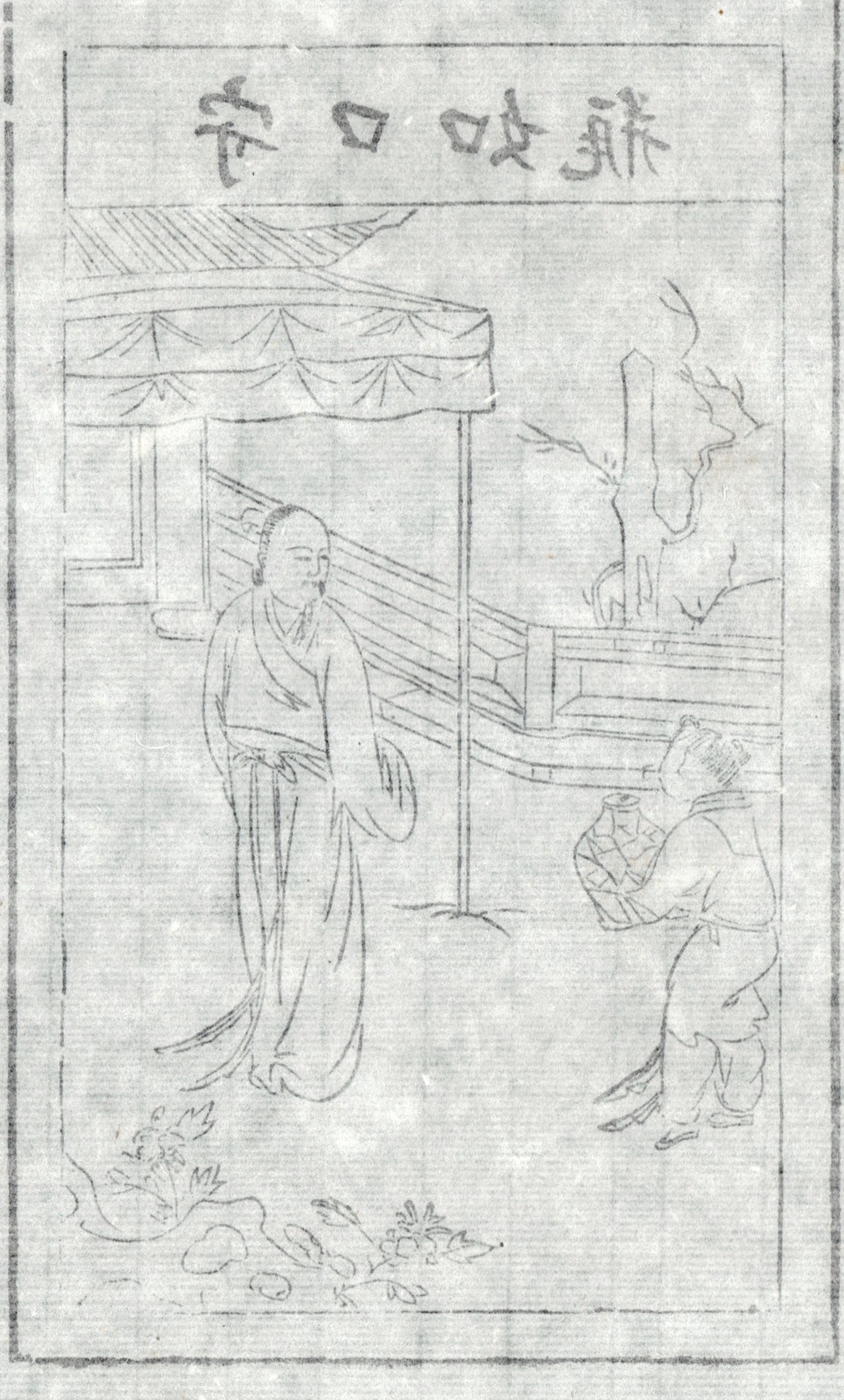
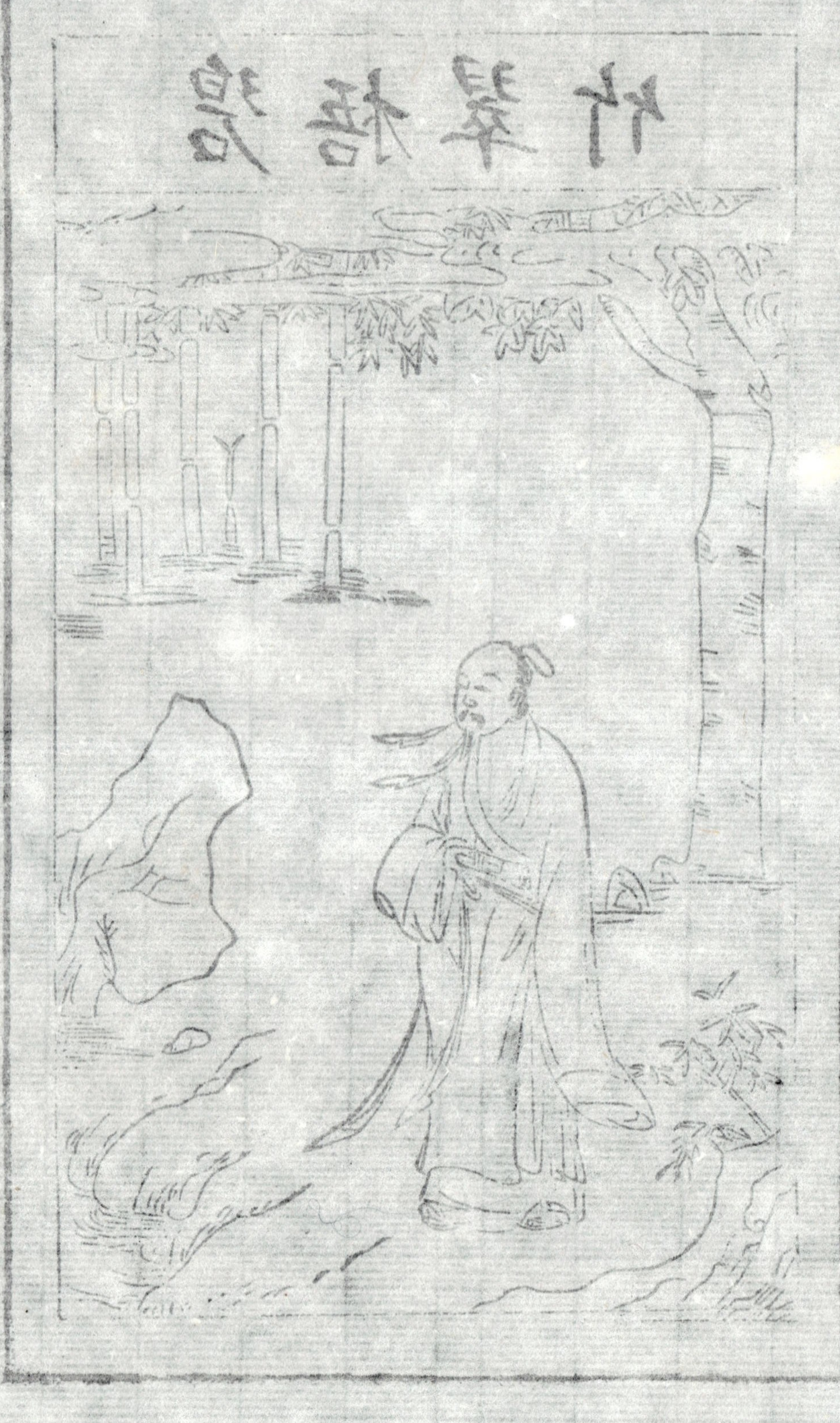

# 書言故事大全卷之五

廬陵 胡繼宗 集
安成 陳玩直 解

○身體説類

**守口** 謹言曰守口（晦庵敬齋箴）此篇發明敬之一字 守口如瓶 口以發言瓶以張水口言易出。瓶水易傾故守吾之口如守吾之瓶瓶水之傾。不可再收。口言之出。不可再追故曰守口如瓶 防意如城 人心動謂之意恐不能盡其誠。故常防之意既誠而后心正意有不誠。則私欲妄行若城之破也夫敵人攻城守城者焉得不防。人心將自正恐懼哀樂引將去又却邪了。亦如敵人攻城至於破。豈不防哉



**可口** 味堪嘗曰可口（莊子）天運篇 柤側加切 梨橘柚音又 ○柤與楂同。似梨而酸柚似橘而大 皆可於口 柤梨橘柚四味雖相反而皆可於口莊子引之比之。三皇五帝。或以禮義或以法度。所用不同。同歸於治

**口占** （漢）陳遵為河南守。句 至官 讀 召書吏治 音持 書謝故人 至官到任所也 凭几口占授書吏 口占口隱度其言語以授吏吏如其言而書之

**唾面** 忍耐不校唾面自乾 音干 （唐）婁師德有度量 去声○度量寬大也 弟守代州 為代州太守 辭之教之耐事 弟臨行之際辭師德師德教之耐事忍辱 弟曰人有唾面 讀 潔之 唾面言人吐唾於我面。而自潔

之潔之指拭除去也師德曰。潔之是違其怒言人怒汝汝正嚜汝面則當順受不可拭去若拭去之是不能順受而違背其怒也正使自乾耳

**革面** 小人改順爲革面（易）革卦澤火革卦名也上六自下而上第六爻也䷰君子豹變謂革道已成。君子遷善已從革而變革者革去舊惡其著見若豹班采之煥蔚小人革面謂尚遠之小人亦皆改革其顏面向從其風化也。革面者改其面貌而已其心未必盡變象曰小人革面順以從君也亦是柔順勉強以從君上之化也

**面折** 面責人過曰面折（漢）汲黯爲人性倨音據。倨倨傲也少燒上声禮面折不能容人之過



**面諛** 阿諛人曰面諛（孟）告子下章訑訑音移之聲音顏色讀距拒同人於千里之外訑訑自足也。距絕人也。孟子言人苟不好善則其人將曰。訑訑訑訑自足其智不嗜善言之貌其智足以拒諫拒絕直諒多聞之士不与之交故直諒多聞之君子相去千里之遠矣士止於千里之外則讒諂面諛之人至矣讒佞也。諂卑屈也。面諛。人有過不能直諫。而當面阿之以為是阿諛之人既至則已有過而自不覺矣

**面謾** 音瞞欺誑人曰面謾（漢）樊噲音快願得十萬眾橫行匈奴中言得十萬之軍能破匈奴橫行猶言平伏放縱自恣於其間而無拘礙者也季布曰。噲妄言是面謾也

**解頤**（音移）使人笑曰解頤。漢匡衡好（音號）學（匡衡家貧無油，鑿隣家之壁。偷引其光而照書。前漢元帝時為相）諸儒語曰：無說詩，匡鼎來（鼎錯也，方也，謂無人說詩則匡衡當來也。當此之際匡衡尤未為相）匡語詩，解人頤（頤者。人之頷。又卦名。上止下動為口之象。口解人頤。匡衡但說詩即取笑所以使人笑則顏開致頤頷動也）

**朶頤** 易頤卦（山雷頤卦名也）初九（在下第一爻）䷚ 舍（捨同）爾靈龜觀我朶頤（爾謂初也。初九爻也。靈龜不食而壽。本可以不求養於小。今捨其本性之明。而觀我朶動其頤頷所以函。徐氏曰。頤卦全体內朶外到有龜象朶動也頤頷也朶頤下動震象又曰靈龜以靜為養朶頤以動為養也舍爾靈龜。失其靜養之道觀我朶頤溺於動養之欲也。朱子曰龜之所以靈者。蟄則咽息不動尤求於外故能神明而壽。嗚呼今之人不務處靜以脩身養德但圖小利而奔馳所以取禍）



**掉舌**（掉音調去声）游說（音稅）曰掉舌（游說以言化人使之從己也）漢酈（音力）生說齊王與漢平（說化齊王歸順於漢）蒯（音快）徹說韓信曰酈生一士。伏軾（音失）掉三寸舌下齊七十餘城（軾車前橫木將以扶手。酈生既說齊王歸漢蒯徹言於韓信曰將軍為將數歲。反不如二豎儒之功乎。先是酈生勸漢王復立六國張良言不可。王罵曰豎儒故有豎儒之譏）

**捫舌**（捫音門）詩抑篇無易（音意）由言（凡言語皆由己口所出不可輕易而發）無曰苟矣（無苟且而發言必思之而後言可也）莫捫朕舌（捫摸持也朕我也蓋）

無人為我執持其舌者言不可逝叶音折矣言語由已易致差失常當執守不可放去也〔韓詩〕悔舌不可捫輕易發言必然不善既不善則悔過既悔過則言已出而舌不可執持矣皆當謹之於先

## 駟不及舌

駟音四戒言之差駟不及舌〔語〕顏淵篇棘音急子成曰君子質而已矣何以文為棘子成衛大夫疾時人文勝故為此言子貢曰惜乎夫子之說君子也駟不及舌駟四疋馬也言子成之意乃君子之意然言出於舌則駟馬不能追之又惜其失言也○馮氏曰鄧所謂一言而非駟馬弗追一言而急駟馬弗及蓋出於此○徒有質而無文則不知義禮是不學也夫人有美質而必加以文飾如子成之言子貢所以非之



## 饒舌

指多言曰饒舌〔傳燈錄〕閭丘覆姓胤音印出牧丹丘豐干禪師謂曰若到任去声謁文殊普賢在天台國清寺執爨攛去声洗器寒山拾得是也天台仙山也閭丘胤至寺訪之二人在廚圍爐笑語致拜二人連聲叱咄叱音尺咄音敦入声○叱咄訶也寒山執胤手曰豐干饒舌釋文註云豐干是阿弥陀佛寒山拾得是文殊普賢化身

## 服膺

服念胷膺〔中庸〕子曰子思引孔子之言回之為人也擇乎中庸中者天下之正道庸者天下之定理得一善則拳拳服膺而弗失之矣回孔子弟子顏淵名拳拳捧持之貌服猶著也膺胷也捧持而著之心胷之間

言能守也顏子善自知之故能擇能守如此此行之所以無過與不及而道之所以明也

**息肩**【左】襄公二年鄭子駟四請息肩於晉子駟鄭成公子也是歲成公有疾子駟欲避楚徙以從晉故以負擔為喻而請息肩於晉成公弗從（孟子序）息肩弛擔

**假手書**伊訓伊訓書篇名也訓導也太甲嗣位伊尹作書訓導之史錄為篇今文無古文有于其子孫弗率率循也皇天降灾假手于我有命假借也有命有天命者謂湯也桀不率循先王之道故天降災借手于我成湯以誅之

**藉手**籍音謝持物惠人曰藉手（左）昭公十六年晉韓宣子私覿於鄭子產有覿見也宣子名起聘于鄭宣子一玉環鄭國商人亦有玉環宣子請於子產欲得之以成雙子產曰昔我先君桓公與商人皆出自周斬之蓬蒿而共處之世有



盟誓彼此無相侵奪故能相保今若奪商人之玉與公是使敝邑背盟失諸侯之心宣子自責曰起不敏竟辭之鄭六卿餞宣子于郊宣子皆獻馬與六卿以玉與馬於是宣子私覿子產以玉與馬藉手以見曰子命起舍同捨夫音扶玉子產命我勿取玉環是舍之也是賜我玉是恩與賜我玉則同而免吾死也且免我之死罪也○上又子產與宣子言若奪玉則背盟失諸侯之心諸侯必來伐宣子聞之懼恐禍及於是告子產命其舍玉而免死也敢不藉手以拜藉借也言豈敢不以玉借手而拜謝乎

**炙手可熱**炙音只權貴勢焰炙手可熱（唐）崔鉉進左僕射音夜○僕射之義已見前第一卷稱呼類執事之下與鄭魯楊紹段復瓌音回薛蒙頗參議論去声○此四人得人君之寵愛頗得相參議論國家之政時

語曰（當時之人相與為語）鄭楊段薛（上文四人姓也）炙手可熱（此文四人倚其勢即可得志若近火炙手而可熱也）欲得命通（言欲得命運通達而有濟遇）魯紹瓌蒙（上文四人名也言欲得命通必須依此四人而已）〔杜甫麗人行〕（杜甫作此篇紀楊貴妃姊妹曲江之盛集也以其美麗過人故名麗人行）炙手可熱勢絕倫（唐明皇寵於貴妃言依附炎炎之勢炙手可熱其勢之絕異等倫如此）

**不龜手** 【莊】逍遙遊（篇名）宋人有善為不龜手之藥（龜背之紋）（如析縫人手濕於寒水則凍裂以此藥塗之則不至如龜背之拆也）世以洴（音萍）澼（音辟）絖（音曠）為事（世以者宋人世世專以洴澼絖為生業之事洴澼水漂也絖綿絮也造綿絮者臨水打成以此藥塗其手雖冬水寒而皮膚不破也）客聞之請買其方百金



（有客聞之以百金買其藥方百金一百斤之重）與越人水戰大敗越人吳王裂地封之（裂分也吳王以其有功分割地方而封之）

**失左右手** 喻失所親如失左右手〔漢高紀〕（所記漢高祖之事）韓信亡去蕭何自追之（亡逃也追趕回也漢王至南鄭信度王數不用其策遂亡去蕭何知信有謀畧可為大將於是自追之）人言漢王丞相何亡王大怒如失左右手

**高下其手** 言人私狥高下其手〔左〕（襄公二十六年）楚侵鄭穿封戌（音恤）囚鄭皇頡（音歇〇穿封戌楚縣尹也皇頡鄭大夫也盖戌獲皇頡而囚之）公子圍爭之（公子圍楚共王之子即靈王也與穿封戌爭獲皇頡）正於伯州

犁伯州犁晋伯宗之子出奔而在楚二子訖州犁正其曲直伯州犁曰請問於囚言當問於皇頡是誰獲女犁上音賞其手州犁上其手以指王子圍曰夫子為子圍與皇頡言此人是王子圍寡君之貴介弟也介大也言此乃楚君貴盛之弟也○觀者勿以寡君為伯州犁自稱也下其手又放下其手以指穿封戌曰此子為穿封戌言此人乃是穿封戌方城外之縣尹也乃楚國方城山外之邑尹也州犁上下其手而抑揚其辭者蓋州犁畏王子欲皇頡曲言王子獲已也誰獲子問皇頡言此二子誰獲汝囚曰皇頡已曉州犁之意頡遇王子曲言我戰而遇王子弱焉戰敗而王子獲我矣

## 交一臂

（莊）甲子方篇顔淵問於仲尼曰夫子步亦步步緩行也



上步夫子步下步顔淵步下文趨亦趨做此趨亦趨趨疾行也顔淵言夫子緩行我亦緩行夫子疾行我亦疾行夫子奔逸絶塵而回瞠音樘若乎其後矣瞠直視也○凡行必有塵起在後行者躡其塵跡夫子行之既疾顔淵追趕不及而絶塵但瞠若乎直視於其後矣顔淵借此譬喻夫子道至大而已行不能及也夫子曰吾終身與汝交一臂而失之可不哀歟與許也而有期望之意交一臂並立也失之謂不聞此道也夫子言我終身專欲周旋傳道與汝許汝與我相並倚然汝不聞此道可不哀欲

## 掣肘

掣音纏入声肘音周上声為去声事所牽奪曰掣肘掣牽也肘縱也（藝苑）魯使宓音伏子賤為單音善父音甫令知縣也子賤借善

書者一人魯君徵發單父子賤俯仰奉上不得專政故單父不治魯君反責之子賤請命於魯君曰但得一善書者治矣○非實用書者盖設譬喻耳使書借得書者既至使之書寫子賤從傍引其肘書醜則怒之欲好書又引之書者辭歸以告書者辭子賤歸魯將掣肘之情告於魯君以魯君曰子賤苦吾擾之不得施善政魯君言子賤苦吾之遣所擾不得專施於政一如書者有掣肘之患不能寫好字也單父不治者此也命毋音無徵發單父單父化甚行毋者禁止之辭子賤由是無徵發之撓單父大治彈琴不下堂

**三折肱**　言人更音更歷事變曰三折肱左定公十三年晉范氏字吉射中行音杭氏姓荀名寅將伐晉定公范氏中行氏皆晉國之卿至是齊高強曰高強齊子尾之子昭公十年奔魯遂適晉三折肱言人三折其臂歷病痛多者知為良醫然後深知治療之法成良醫也唯伐君為不可言已如良醫識病知不可伐公也民弗與也則國人之所共不與也我以伐君在此矣我以伐君折肱在此矣故深知良醫治病之法○高強伐君取敗故出奔非實折肱譬喻以止伐君之故二子不听遂伐公國人助公二子果敗

**為米折腰**　晉陶潛為彭澤令郡遣督郵音由至縣吏白應平声束帶見之督郵主諸縣罰負部殿糾察之事後漢郡主簿亦曰督郵隋以錄事叅軍代之掌勾稽文簿率彈善惡白秉告也吏秉陶潛當束帶以禮見督郵也潛嘆曰吾不能為五斗米折腰事鄉里小兒即解印為五斗之米則

為令既為令督郵至須東帶見之以奉上也既見督郵則折腰故發此嘆遂解印綬休官作歸去来辭此下又言之

**容膝**　音昔自言居小容膝（歸去来辭）倚南牕以寄傲徒倚向南之窓下于以寄傲世之情審容膝之易安知足常足信此容膝之小室亦易以自安（韓詩外傳）楚莊王使〻賫金百斤聘東郭先生先生謂妻曰楚欲以我為相騎食方丈於前如何妻曰结駟連騎所安不過容膝食方丈於前所甘不過一肉以容膝之因一肉之味而絢楚國之憂其可乎劉向烈女傳作楚於陵妻未知孰是淵明本此而有容膝之說

**茲膝不屈**（唐）田承嗣據有魏地郭子儀遣使至魏承嗣西望拜曰茲膝不屈於人久矣今為公拜公子儀也言其極敬而始拜也



**斷送老頭皮**（仇池筆記）真宗東封東封〻泰山積土增山以招曰封泰山在東曰故曰東封得隱者楊璞音朴上問卿臨行有人作詩否上真宗也問其有人作詩送行否曰臣妻一首云更休落魄音托耽盃酒落魄慵懶不務事業耽〻樂也式其匆急惰而好於酒更莫猖狂愛作詩今日捉將官裏去這韻音是彥常言是蔗回斷送老頭皮這回猶言此一次也言此一回為官則斷送矣真宗笑遂放下

**怒髮衝冠**（史）藺相如奉璧入秦趙惠文王常得楚和氏璧秦昭王請以十五城易換之於是相如奉之入秦視秦王無意償音常〇償還也趙城相

如持璧郤音乞立倚柱郤退也。相如見秦王失信。不能還城。詐言詒之。取璧。執之。退立倚柱怒髮上衝冠相如遣使者持璧間行先歸。自身待命於秦。昭王以其賢而歸之。○餘詳見後第七卷餽送類全璧之下

**畏首畏尾**言恐懼過甚。畏首畏尾（左）鄭子家曰子家鄭公子歸生也。文公十七年。晉灵公合諸侯于扈。靈公于是不見鄭伯。以為鄭有二心向於楚也。子家率陳蔡以朝晉。故子家言鄭事晉已至矣。晉猶未足而不快意。子家故託下文古人之言古人有言曰古人有常言。如下文所云畏首畏尾譬如一身既畏其首。又畏其尾。恐傷之也身其餘幾則其身中不畏者所餘能幾何哉。以譬前鄭之小國而北畏晉。南畏楚。則無以自立也



**生死骨肉**叙謝厚恩。生死骨肉（左）襄公二十二年楚令尹薳音委子馮音平有寵者八人子馮有所寵愛者八人皆無祿多馬八人皆未加祿而多馬申叔豫曰觀起有寵於子南子南即公子追舒。為令尹。偏寵愛楚人觀起。未益祿而有馬數十乘子南得罪觀起恃其寵豢。招權納賄。所致楚國之人。皆以為患。楚康王將治子南之罪。遂殺子南于朝。薳子得罪當如子南觀起車裂車裂觀起以徇于四境。即分尸示衆也。言八人車裂當如觀起何獨不懼殺子南之后。復以子馮為令尹。他日子馮与申叔豫朝于康王。叔豫不与子馮語。既退朝。子馮至申叔豫家。問何不与我語。我若有過。煩以開之。对豫言。令我何獨不惧并罪。而求寵愛与子語乎薳子曰。吾見申叔夫子。所謂生死而骨肉也子馮自御而歸。謂八

人者曰。吾見申叔夫子所謂已死復告白骨更生肉也○夫子普称申叔辭八人者而

復王安之辭遺也子馮既遺八人而後康王安於心不疑子馮。子馮所以免禍也

**形骸之内** 言相忘共遊形骸之内（莊）德充符篇名今子

與我遊於形骸之内形骸外也德内也而子索音色我遊於

形骸之外非與我形交而索我於外好也豈不過哉此蓋申屠嘉兀者也與鄭

子產同師於伯昏合堂之際則席而坐。子產謂申屠嘉曰我先出則子止子先出則我止。今我將出。

子可止乎申屠嘉曰吾与夫子遊十九年矣未嘗知吾兀者也。今子是乃與我從學養德遊於形骸

之内。而非徒習形骸之外若以子出我止。為學豈不過哉（釋註）言子称伯昏也

○身體譬類



**京兆眉** 畫眉嫵音舞（漢）張敞為京兆尹漢都于長安。號京兆後帝都通

称京兆。若今順天府知府是也為婦畫眉。長安中傳張京兆眉嫵

長安漢立都今陝西是也。傳傳講也。長安之人傳講張敞畫眉之事有司以奏有司有司

之官也上問之上。前漢宣帝也。親問其事敞曰閨房之内。夫婦之

私有過於畫眉者人皆言畫眉以為蓋恥敞言夫婦之私人皆有之復有恥於畫

眉況可以為蓋乎

**蛾眉** 詩碩音石人篇名指莊姜也閔莊姜也閔傷痛也莊姜衛莊公之妻也莊公

感于嬖妾使驕上僭莊姜賢而不荅終以無子。國人閔而憂之遂作此詩齒如瓠胡去声

犀瓠胡蘆也瓠犀瓠中之子方正潔白比莊姜之齒若此之整齊也。下倣此螓音秦首蛾

眉螓如蟬而小其額廣而方正蛾。蠶蛾也其眉細而長○此章言其容貌如是之美。而反不得其寵也

〔杜詩〕虢國夫人承主恩虢国夫人楊貴妃之妹也平明上馬入宮門平明。天大明也却嫌脂粉涴音涴顏色涴。污也脂臙脂紅色粉水粉白色婦人貌醜者假此粧飾虢夫人以其顏色極美嫌脂粉反污其顏以故不用也淡掃蛾眉朝至尊朝音潮○至尊天子也

**壽陽宮額**〔宋〕武帝女壽陽公主。人日人日。卧含章殿下正月初七日也梅花落主額成五出花梅花每朶定是五瓣花瓣雖乱落點額仍成一朶拂之不去自後為梅花粧因此後人效之粧成梅花於額上

**樊素口小蠻腰**〔白樂天詩〕櫻音恩音曰又桃樊素口櫻桃果名小而紅言樊素之口若櫻桃也楊柳小蠻腰楊柳軟而小。言小樊蠻之腰似楊柳也樊素小蠻樂天二妾名樊素善歌小蠻善舞

**宮腰**〔漢馬廖傳〕廖音聊○廖馬援長子明德皇后兄也楚王好細腰宮中多餓死腰細小者皆得寵腰大者縶縛不食使腰亦小欲得寵故多餓死

**沈腰**沈音申上声〔宋〕沈約字休文東陽人久居端揆音跪○端揆僕射忝揔百揆又曰端右端揆之司謂僕射也有志台司而武帝不用武帝南宋高祖也○上台司命為太尉中台司中為司徒下台司祿為司空故三公曰台司沈約又其久居僕射而其志歆為三公武帝且不能用遂以書陳情於徐勉徐勉字脩仁後相梁武帝言已老病數旬革帶常應音因移孔革皮也帶以皮

為孔眼也帶有數眼以勾縮之而繫於腰腰大移勾縮於內孔腰小移勾縮於外孔故沈約言我病久腰小帶移孔矣借此以比其久居端揆也東坡詞多病休文今瘦損言多病若沈休文之瘦損不堪金帶更垂腰腰小帶寬而垂下矣

**玉樓銀海** 侯鯖錄東坡雪詩云凍合玉樓寒起粟光搖銀海眩生花音縣眩即眼生花也王荊公云道家以兩肩為玉樓眼為銀海坡曰惟荊公知此

**眼波秋波** 皆眼也選舞賦目流涕而橫波謂斜視如水波之橫流山谷詩新婦磯頭眉黛愁女兒浦口眼波秋新婦磯女兒浦皆地名借此兩意而言也

**雲鬟** 音環阿房宮賦房音傍○秦始皇造阿房宮杜牧之遂作此賦綠雲擾擾梳曉鬟也言宮人之梳粧也髻鬟折縮雲髻整然如天外綠雲之疊疊韋應物詩高髻雲鬟宮樣粧詳見後第六卷讚嘆類司空見慣之下

**蟬鬢** 古今註魏文帝宮莫瓊樹始製為蟬鬢望之縹緲如蟬縹音飄上声緲音苗上声○縹緲隱顯之狀故號蟬鬢

**玉纖** 音先○纖手也唐張祐客淮南幕中赴宴時杜紫微為支使杜紫微杜牧之也為中書舍人亦名紫微郎時出為支使支使戶部屬官掌天下租賦物產歲計所出而支調之又支使幕官從事也南座有屬音燭意之處屬意也南座有可意之處。或曰。見妓女也索音色摋子賭酒索取也摋子雙六簺也杜

微吟曰投子巡巡裹手拈音年○拈。相取也。裹手拈蓑不露手於外也無因得見玉纖纖。祐應曰應應声也但應平声報道金釵落彷佛還因露指尖裹手難見報道釵落出手救之則可見矣

**春笋**手扶也（東坡詞）報道金釵墜也十指露春笋纖長此與前意一同

**冰肌**（莊子）逍遙遊篇藐音莫姑射音亦之山有神人肌膚若冰雪綽長入声約若處音佇子處子者處女也此蓋肩吾問於連叔曰。楚人接輿言。藐姑射之山。有神人居焉肌膚若冰雪綽約若處子。不食五穀吸風飲露乘雲御氣飛龍而遊乎四海之外其神凝靜。使物不疵癘而年穀豐熟吾是狂而不信也連叔曰大浸稽天而不溺大旱金石流土山焦而不熱。其神盡如此



**雞頭肉**妳乳也（楊妃外傳）楊妃出浴對鏡匀音云面裙腰褪屯上声露一乳裙腰將以闌胷明皇捫音門弄楊妃貴妃也捫以手撫持也。唐明皇過寵貴妃故於此捫弄其乳而戲之曰軟溫新剝雞頭肉明皇言乳出軟而且溫如新剝出雞頭之肉。水中有雞頭蓮其葉大如蕺盤兼有刺。其子如櫻子之大。其中之漿与乳一同。故曰雞頭肉安祿山在傍祿山，胡人也貴妃撫之為子對曰祿山對潤滑新來塞上酥音踈○酥。牛羊馬乳也胡地以為酒故祿山言貴妃之乳乃塞上酥也妃笑曰信是胡兒只識酥

**雞肋**音勒自喻體弱曰雞肋喻譬喻也（晉）劉伶平声嘗醉與俗

人相忤（謂忤者彼此相觸犯也）其人攘（音穰）袂奮（音憤）拳（攘袂捋袖出臂也奮拳揚拳欲打劉伶也）伶曰雞肋不足以安尊拳（言体如雞肋之小弱不堪打也）其人笑而止○曹操西征望漢中（四川又謂之西川劉備立都仍與漢操征伐之故曰西征）劉備拒守（劉備漢景帝子中山靖王勝之後）操欲還出令曰雞肋楊脩便嚴裝（嚴裝促治行裝）人問何以知之（問脩何以知曹還）脩曰雞肋（讀）棄之若可惜食之無所得以比漢中（比漢中地方不廣縱得之如食雞肋且無大益）知其欲還也

**燕頷**（音含）漢班超相（去声下同）者曰祭酒布衣書生耳（祭酒謂一坐所尊先祭酒相尊敬之言其異常也）而當封侯萬里之外（見其象異常知其為侯像也）超問其狀（超見相者言其當封侯故問其狀何所取）相者曰生燕頷虎頭飛而食肉（言其生像若燕之飛以至遠若虎之食以至多）此萬里侯相也（此節復見後第六卷志氣類拔萃之下）

**頷甲**　慙顏厚曰顏甲。進士王光遠干索（音色）權豪無厭（音淹○干索求也權豪勢焰之人也○厭止也○光遠求索於勢焰之人○而不能止）或遣撻（讀入声）辱（撻打也）略無改悔時人云光遠顏厚如十重（平声）鐵甲

**鐵石心腸**　皮日休云宋廣平為相（去声○廣平姓宋名璟相唐明皇封

廣平公謚文貞疑其鐵石心腸不解鞋上声吐軟媚辭解晐也口

吐之言剛直不晛為歎媚之辭觀其梅花賦便平声巧富艷便辯也言其賦

詠之極巧也殊不類其為人殊絶也不類不與凡類相同其為人也如此（梅花賦

并序垂拱三年余春秋二十有五戰藝再北隨從

父之東川授館官舍時病連月顧瞻垝（音鬼）垣有

梅一本敷蘤（音委）於榛莽中喟然嘆曰嗚呼斯梅

花非其所出群之次何以別乎若其直心不改是

則可取也已感而成興遂作賦曰高齋寥闃（音乞）

歲晏山深景翳〻而以叙度風悄悄而龜吟坐窮簷

而无友命一觴而孤斟步前除以彳（音亦）亍（音蜀）

倚蔾杖於墻之陰蔚有寒梅誰其封植未綠葉而

先葩發青枝於宿枿（魚割切）擢秀敷榮冰玉一色

胡雜沓於衆工又蕪沒於叢棘匪王孫之見知羌

潔白其何極若夫瓊英綴雪絳萼著霜嚴如傳粉

是謂何郎清馨潛襲踈蕋暗臭又如竊香是謂賈



壽凍雨晩湿宿露朝滋又如英皇泣于九疑暖日

烘晴明塘凍夜又如神人來自姑射（音亦）烟晦晨

昏陰雲晝閉又如通德擁神推髻狂態捲沙飄素

摧柔又如綠珠輕身墜樓半合半開非默非言湿

伯雪子目擊道存或俯或仰匪笑匪怒象郭子順

止容物悟或樵悴若霊均或寄傲若曼（音萬）着（音

新或嫵（音舞）媚若文君或輕盈若飛燕口吻雌黃

凝議誰遍彼其藝蘭兮九畹（音遠）采蕙兮五柞緝

香以美蓉贈之以芍藥玩小山之叢桂掇芳洲之

杜若是物皆出墻地產之奇各芳於風人之託然

而艷於春者望秋先零盛於夏者未冬已瘦或朝

華而速卸或夕秀而遄衰曷若兹卉歲寒特妍冰

凝霜互擅美專權相彼百花孰敢爭先鶯語未聲

蜂房未窺獨步早春自全其天至若措迹隱深寓

形幽絶恥鄰市墨甘遁岩穴江僕射（音夜）之孤灯

向寂不然棲迷陶淵明之三逕披閑曾無情結貴

不移於本性方可儷於君子之節聊染翰以寄怀

用垂示於來哲從父兄而勗之曰萬木盡作梅兼

再吐子善体物永保須固

**土木形骸** 晋嵇（音兮）康字叔夜有風度而土木形骸不自藻飾（内有風度外不文藻粧飾）人以爲龍章鳳姿天質自然

○頹貌類

**紫芝眉宇** 叙閭（去声）闔云不奉紫芝眉宇（詳見下文）

**魯山** 踈遬（亭入声⊃遠也）芝眉元眉唐元德秀字紫芝房琯（音會）每見嘆曰見紫芝眉宇使人名利之心都盡（但愛紫芝眉宇之美而無慕名利之心矣○德秀嘗爲魯山令故以魯山爲題）

**光風霽月** 不覿（音狄）光風霽月之標（覿見也言有光風霽月之標格而不得相見也）



宋朝濂溪先生周惇頤字茂叔道州舂陵人黄魯直曰舂陵周茂叔。人品甚高胷中洒落如光風霽月

**碧梧翠竹** 遬遠碧梧翠竹之標

**鸞停鵠峙**（音恥○峙峻峙也）違閭（去声）鸞停鵠峙之姿韓公撰馬君墓誌云云當是時見王於北亭猶云云龍虎變化不測（馬燧贈北平郡王馬君之祖也）退見少（音紹）傳翠竹碧梧鸞停鵠峙（少傳王之子馬君之父也）幼子娟好靜秀瑤環瑜珥

（音二）蘭茁其芽（幼子少傳之幼子也餘見一卷子孫類瑤環瑜珥之下）

### 陽煦山立

煦音虛去声疎闊陽煦山立之表陽煦言如陽氣之煦物宋朝王沂音宜公曾曾王沂公名也後辛以狀元及第姿質端厚楊億目之曰。王君陽煦山立山立。言其端重也宗廟器也宗庙器瑚璉也皆宗廟盛黍稷之器而飾以玉器之貴重。而華美者也楊億言王曾當為大用乃宗庙之器也

### 芒寒色正

不接芒寒色正之輝芒星之光焰也接相見也獎人有芒寒色正之輝而不得相見也（柳文）劉禹錫序文章燦然如繁星麗天而芒寒色正繁多也麗附也。贊其曾次文章之美如星辰之燦然光輝也人望而敬者。五行而已五行金木水火土星也燦然光輝人皆仰而敬之。言禹錫之文光彩人望而敬之。亦如望五星而敬也。考之柳文且無所載



### 玉海金山

疎逖玉海金山之韻韻。氣韻也梁武帝曰朱异音異器宇宏深器宇度量也。言度量寬廣且深神表峯峻外貌若山峯之峻俏金山萬丈緣陟難登此一節。乃神表峯峻之意此高難登。比之人所不及也玉海千尋窺映不測六尺為一尋此一節乃器宇宏深之意海深難於窺測其深幾何比之人所不測也

### 瑤林瓊樹

違拜瑤林瓊樹之姿。王戎曰王衍神姿高徹如瑤林瓊樹自是風塵表物風塵庸常之輩。抗走風塵之間者表外也。言王衍精神姿質高徹如瓊瑤之樹乃超越于常人之外之人物也

**冰壑玉壺** 一間氷壑玉壺之韻（杜詩）入奏行贈竇侍御 驥音記之子 驥良馬，日走千里 鳳之雛。烱如清氷出萬壑 壑，深坑壑也。烱然如氷出於山壑。言其潔淨也。置在迎風寒露之玉壺 置，安置也。猶放下也。迎風館寒露館，皆漢武帝所造，館中有玉壺。言竇侍御之美如似清氷安置於玉壺之中

**貫犀表** 不覿音笛。覿，見也。貫犀表（伏犀）（匿犀）袁天綱相竇軌音奎伏犀貫玉枕 玉枕，後腦也。謂骨當頭上入髮際隱起，至後腦如伏藏犀角也 當於益州立功名。果然。立功之跡未詳（後漢）李固有奇表昂角匿犀 昂角者，額上有骨如昂足。匿犀，伏犀也

**一段翠氣** 不贍一段翠氣（山谷詩）眉宇之間如大華花同一段翠氣連中南 太華，太華峯也。上有玉井蓮花。故以花為名。中南，山名。眉宇清秀如大華峯之翠氣與中南山周連

**一團和氣** 不接一團和氣（春風和氣）謝顥道 名良佐，上蔡人 程門弟子 云明道先生程顥音好坐如泥塑人 端坐不動 接人則是一團和氣○朱公掞 炎上声 見明道先生于汝南歸。謂人曰光庭在春風中坐了一箇月 公掞字光庭。此即見前事二卷師儒類坐春風中之下

**清揚** 不覿音笛清揚（詩）野有蔓音萬草篇名 有美一人，清揚婉兮，清揚眉宇之間婉然美也。○釋文云：清，目之美；揚，眉之美

**玉山** 不近玉山（晉）裴楷字叔則，容儀俊爽，時人謂之玉人。又稱見叔則如近玉山照映人也

**玉立** 不親玉立（晉）羊祜 音護 躰儀玉立，可以整肅朝廷

**星標** 踈逖 音狄 遠也 星標（杜詩）早年見標格秀氣衝覗星斗

**風度** 不瞻風度（唐）宋璟 音影 風度凝遠人莫涯 音崖 其量 宋璟作梅花賦。後相玄宗，封廣平公。涯，有盡期也。言其量人。莫知其盡處。莫如其量廣狹

**玉樹** 不親玉樹 不親，言不得相親近也（杜甫題栢大兄弟屋室）叔父朱門貴 仕宦者。以朱飾門 郎君玉樹高 古称貴人之子。嘗事其父者。曰郎君（飲中八仙歌）杜甫云云 宗之瀟洒美少 燒去声 年 崔宗之為人。蕭散洒落。美風姿而且少年 皎如玉樹臨風前 皎皎然明潔如瓊玉之樹臨於風前

**日角珠庭** 逖遠日角珠庭之標（唐）李珏 音角 字待價，相文宗。李絳為華州刺 音次 史見之，曰日角珠庭（光武紀註）日角謂庭中骨起伏如日角，額角庭。天庭額之中也。角如日，庭如珠，言圓也 非庸人相 去声 ○庸常也。言珏非常人之相

**淵角山庭** 不覩淵角山庭之姿（文選）任 平声 彥昇 仕齊梁 作王文憲集序 王文憲有文集，故彥昇為之作序 淵角殊祥 角上淵言

涅也。殊不同也。與常人不同而吉祥也山庭異表庭如山言高也蓋儀表異於人也

**風姿** 違逖風姿晉王衍。字夷甫。神情明秀風姿詳雅

**風采** 不瞻風采後漢趙壹。字元叔。體貌魁梧句望之甚偉魁梧望之甚偉言可驚悟也司徒袁逢讀河南尹羊陟。共薦之名動京師。士大夫想望其風采

**良覿** 久踈良覿謝靈運詩引領冀良覿冀音計○引領伸長頸也冀希望也覿見言引頸望以相見也杜詩逍遥展良覿逍遥無所拘而優悠也展中也從也言優悠以從良會也

**冠玉** 貌美如冠玉陳平傳周勃讒陳平於漢王漢王拜陳平為都尉參乘典護軍於是周勃謂漢王曰平受諸將金顧王察之曰平雖美如冠玉其中未必有也飾冠以王勃言平雖美丈夫如冠上之玉則外見美而心中無有譬喻平雖有才而無德也



**豐下** 面方滿曰豐下左傳文公元年王使內史叔服來會葬王。周襄王也叔服周大夫為內史之官來會葬僖公也魯公孫敖聞其能相人見去声其二子焉相人謂觀其形色而知吉凶故公孫敖以其二子谷與儺見叔服使相之叔服曰穀也食音似子子指公孫敖也穀文伯也食子謂奉祭祀供养者也難也收子惠叔也。收子謂葬子身也惠叔公孫敖見十五年穀也豐下豐下謂其面方而豐厚也必有厚於魯言當為孟孫氏之後也按文伯生仲孫蔑

是為孟獻子偕如叔服之言
醞藉 醞音運 薛廣德溫雅有醞藉 醞藉服虔曰寬博有餘也陳季推曰有含
容不暴露之性也
魁梧魁岸 梧音悟 周勃贊曰聞張良之智勇以為其皃
魁梧奇偉反若婦人女子 魁大也梧既見可驚悟也。婦人女子柔弱之象。
周勃言張良智有餘以為其貌當使人驚悟。何乃反若婦人女子之象。○餘近見張良遺象果若嬰
孩之狀 ○江充為人魁岸 魁大也岸者有廉稜如崖岸之形
○惡貌類
不颺 音漾 貌醜曰不颺 左 昭公二十八年 晉叔向適鄭鬷 音宗 蔑



音容 惡 鬷蔑鄭然明也其貌醜惡 立於堂下 鬷蔑欲觀叔向故從收器者共立堂下
一言而善 然明發一言而當理 叔向聞之曰必鬷明也 對向素聞
然明之賢故聞其言而知之 下執其手以上 音賞○叔向下堂執然明之手以升
堂 曰令子少不颺 叔向謂然明面貌少不颺顏 子若不言吾幾
失子矣 汝若無堂下之一言我幾乎不獲識汝矣
貌侵貌寑 侵音寑 漢 田蚡 音粉 孝景帝皇后母弟也為丞
相為人貌侵 貌侵短小也又醜惡 ○王粲依劉表。表以其貌
寑 同前 不甚禮焉 表待粲不甚禮粲遂登樓作賦思歸
以貌取人 周勃贊曰 孔子稱以貌取人。失之子羽孔

子之弟子澹（音談）臺滅明字子羽貌惡而行善（澹臺姓。滅明名表字子羽武城人。其貌雖惡德行甚善。與子游為友。行不由逕）

**朱儒侏儒**

矮（音挨上声）人曰朱儒（左）（襄公五年）魯臧孫紇（閡入声）之國人伐邾敗（邾人莒人。共伐魯鄫縣。臧孫紇救之就伐邾反為邾所敗（釋註）鄫音秦）誦之曰（魯國之人誦而歌之）我君子小人（襄公年七歲故曰小子）朱儒是使（臧紇短小故曰朱儒取此之敗朱儒之所使也）朱儒朱儒（重呼朱儒言其短小）無能為使我敗於邾（使我敗師於邾）（記）王制（王者制爵為王故以王制名篇）瘖（音陰○口不能言者）聾（音籠○耳不能聽者）跛（波上声）躃（音必○跛躃足不能行者）斷者（支節解絕不相續者）侏儒（短人也）百工（凡執一藝者皆是）各以其器食之（食之使養也。蓋謂隨其大小長短而用之如以聾者司火刖者守門。陶者治器匠者治木之類○正義曰此一節論矜恤疾民之事最少無父最老無子最老無夫。最老無妻此四者不能為事而貧窮無所告者。故常發倉廩以濟之○瘖聾跛躃斷者侏儒非此老而無告者。故令其堪任其役因而濟之此聖人之法制良哉良哉）



**麞頭鼠目**

（唐）苗晉卿薦元載李揆（音巨）輕載相（去声）寒（輕不敬重也。寒鄙猥也李揆以元載之相寒故輕之）謂晉卿曰。龍章鳳姿士不見用（士賢士君子也言有龍章鳳姿之士。亦且不能見用於世）麞頭鼠目子乃求官耶（子指晉卿也求薦也言此等之人。子何乃薦以為官耶）載銜之（銜含也。元載包含在心以為恨也）

○殘疾類

**屋漏中來** 謂縮項者從屋漏中来（世説）祖廣行恒縮頭桓南郡笑之（南郡桓温之子玄嗣封為南郡公）曰天堪晴朗祖參軍從屋漏中来（參軍官名也）

**盲人瞎馬** 以瞎遇瞎曰盲人瞎馬（世説）桓南郡（已見前郎）顧愷之與殷仲堪作危語（危語。險恠之語也桓曰。矛頭淅米劍頭炊殷曰百歲老翁攀樹一枝顧曰井上轆轤卧嬰兒）殷仲堪有一參軍在坐云盲人騎瞎馬夜半臨深池。仲堪眇一目（眇瞎也）驚曰此大逼人因罷（罷者不用危語也）

**金篦** （音卑）患目請醫曰借金篦一刮（魏）武帝患目（武帝追謚曹操也）華陀以金篦刮之（句）遂愈（愈安好也）

**重聽** （重平声）聾曰重聽黄霸為潁川太守許丞聾（許丞為長史。多病聾郡録事東黄霸欲逐之）霸曰許丞廉吏（霸言許丞。乃廉潔之官）重聽何妨（言許丞既聾凡事一次所不明再説使之重听則又何防）

**期期艾艾** 口訥曰期期艾艾（口訥謂言辭不便也）（漢）周昌爭高帝廢太子之事怒曰臣期期不奉詔（漢高帝欲廢呂后之太子而立戚夫人子如意。令周昌奉詔以傳宣使天下知之。周昌爭之。不得而怒。故假言臣。期期不能奉詔期期者口訖也故重語。猶今人結舌也漢楊雄為人口吃故語每重疊）（世説）（魏）鄧艾

口訥。常自稱艾艾艾〻与期期意同

**舌本強**去声 俗語曰，三日不談舌本強。殷仲堪自言三日不讀道德經道德經，太上老君所著五千餘字便覺舌本間強矣舌本，舌根也

**吾舌尚存** 張儀常從楚相去声下同飲楚相姓名未詳相亡璧亡失意儀盜，執儀笞之句也歸。而其妻誚之誚責也張儀之妻責張儀無志遺捷辱也而儀曰視吾舌尚存否，妻笑曰在，儀曰足矣張儀言舌存則可敗從約夫從約蘇秦說齊楚燕韓趙魏從親以抗秦於是張儀說六國曰同父母所生之兄弟尚有爭錢財而相殺傷者何致聽蘇秦反覆之餘謀於是六國從解張儀連



横以事。秦卒皆為秦所滅果如張儀之計

**狗竇** 牙缺曰口開狗竇竇穴也今俗語袋也張玄祖八歲齲齒，先達戲之曰先達者前輩之老人也君口何為開口竇，玄祖曰欲使君輩從此中出入

**兔缺** 脣缺曰兔缺。(晉)魏詠之生而兔缺，後遇醫以藥補之兔脣亦缺故云兔缺廣記云孕婦食兔肉生子主脣缺

**蹣跚**蹣音瞞跚音珊 足疾曰蹣跚之步。(史)予苦蹣跚蹣跚跛行也

○惡性類

**癖性**癖音匹 性有偏好曰癖性。(晉)王濟有馬癖，和嶠喬去

声有錢癖杜預有左傳癖蓋偏有所好如人病癖不痊

**木强推** 强上声 樸音朴 鈍無文曰木强曰椎 漢 周勃爲人木强敦厚 木質朴也强勁直也周勃質朴剛直敦厚而不柔和也 不好文學每召諸生說音稅士東向坐責之趣音促爲去声我語青求也趣速也每召集諸生游說之士勃東向而坐求諸生說士令速爲我語。不以賓主之禮也 其椎少燒上声文如此 樸鈍如椎而少文華

**遲頓** 音鈍 漢 翟方進爲小吏號遲頓不及事 古称吏官之捴名也 遲頓謂性緩而頓



**鉤距** 多智計較曰鉤距 漢 趙廣漢爲京兆尹 漢都於陝西謂之京兆尹今順天府知府是也 善爲鉤距以得事情 距如鉤、到掛也。吞之則順。吐之則逆使人入其術中而不能出以索鉤其隱情也 設欲問馬價則先問狗次問羊又問牛然後及馬參五其價以類相準則知馬之貴賤不失實矣 本欵問馬價則以類狗羊牛之屬五等之價以相參考則不失馬之實價矣 是謂鉤距

**鴆毒** 鴆音秤 左 宴安鴆毒不可懷也 鴆毒鳥也黑身赤目食蝮音福蛇 蝮蛇虺蛇也俗云鱉鼻蛇細頸大頭色如文綬大者長七八尺最毒以 其毛歷飲食則殺人 歷過也以其毛從飲食中過即殺人以故宴安不可懷也

**糊塗** 呂氏家塾記大宗欲相（去声）呂正惠公（欲相者欲以為相也）呂端字易直謚正惠公也 左右曰（在左右之人言）呂端為人糊塗（糊塗鶻突）帝曰端小事糊塗大事不糊塗

**漫浪** 唐元結自釋曰結從家瀼（瀼音襄）濱自稱浪士（從家瀼水之上。故自稱為浪士）及為官人以為浪者，亦漫為官乎，呼為漫郎。既客樊上（樊上地名也）漁者相戲（漁者戲笑其為漫浪）更（音庚）曰聱（聱五交反）叟。酒徒（更。改也。聱語不入、不聽也。戲其為漫郎而不听故改聱叟）又曰公（又更名曰公）又漫浪於人間得非聱齖（齖音牙）乎（聱者語不听。聱者蓋不正作此拳止与衆不同不合是乃翹癖也）



**孟浪** 作事輕率曰孟浪（莊）（齊物論篇）瞿（音渠）鵲子曰夫子以為孟浪之言（夫子瞿鵲子指其師也。孟浪率畧也）而我以為妙道之行（音幸）也（瞿鵲子長梧子之弟子也。問於長梧子曰吾聞諸夫子之言。聖人不從事於物不就利不違害不喜求。不以攀緣之心。行乎塵迹之道而遊乎塵垢之外夫子以為孟浪之言。而我以為妙道之行也夫子以為孰是長梧子曰。是黃帝之所听熒也而我何足以知之汝亦大早計而求。汝亦大早計與後第十一卷禽獸類見彈求鴞炙之下相類）

**鹵莽滅裂**（鹵音魯莽音母）作事不精曰鹵莽滅裂（莊）（則陽篇）長梧封人問子牢曰（長梧地名也。封人。掌封疆之官子牢子琴張也。封人於是問云）君為政焉勿鹵莽（鹵莽粗疎不用心也為政者必須子細詳審）治（音持）民

焉勿滅裂滅裂，輕易也。治民者以仁愛為本，愛於民而民自化也。昔予為禾耕而鹵莽之，其實亦鹵莽而報予；犁抄曰耕。鹵莽，謂不能深耕禾根，不能行遠，故其苗不茂，而實不堅。蓋凡物所結子謂之實。耘而滅裂之，其實亦滅裂而報予。耘，除拔草也。

**闒茸**

闒音塔。茸上声。（司馬遷書）在闒茸之中。闒茸，言人不好乾淨齊整也。

**囁嚅**

囁音熱。嚅音儒。囁嚅，多言。（韓公送李愿歸盤谷序）足將進而趑音姿趄音雎。○與進不進，退縮不前。○此韓公引李愿之言。愿言汲汲求於人者，則奔走道途，惟趨形勢之家，既與其進，則趑趄退縮而不敢進也。口將言而囁嚅。楚辭云：囁嚅而妄作。蓋小語謀私之貌，口中難言。○愿言我但務隱而高潔其志，不似時人奔走於形勢之途。

**喋喋**

音諜。多言。喋喋（漢）文帝以虎圈音卷嗇音色夫對禽獸簿甚悉。虎圈，養禽獸所也。嗇夫，在官從百官使者。對，應荅也。簿，以記禽獸之數也。悉，詳盡也。○張釋之從文帝行登虎圈，問上林尉諸禽獸簿。尉左右視，不能對。蓋尉主掌禽獸之官也。嗇夫從旁代尉對，甚詳。帝曰：尉不能對，不如嗇夫。詔張釋之拜嗇夫為上林令。去声。釋之曰：周勃、張相如稱長音掌者。兩人言事曾不出口。勃與相如，人皆以其有德，尊稱其為長者。蓋為言事，不能輕易出於口也。豈效此嗇夫喋喋利口捷給哉。喋喋，多言也。捷給，多言取辯也。言勃與相如豈能效嗇夫之利口。若以嗇夫口辯而超遷之，恐天下隨風而靡，爭為口辯而無其實。帝曰：善。乃不拜嗇夫。

**口給**

利口取辯曰口給。（語）公冶長篇。子曰：焉音烟用佞？焉何必也。

佞口才也或曰仲弓雖仁而無口才孔子言但有德何必用口才禦人以口給屢音慮憎於人禦當也猶應答也給辯也屢數也憎惡言何用佞乎佞人所以應答人者但以口取一情實徒多口為憎惡耳

**不孫** 去下

孫順（語）陽貨篇子貢曰惡不孫以為勇者聖賢但勇於義並有不孫順者以其為勇故賢者惡之惡訐音結以為直者訐謂發人之陰私反以其為直此等之人故亦可惡侯氏曰聖賢之所惡如此所謂惟仁者能惡人也

**足恭** 足去

（矯）詐為恭曰足恭（語）公冶長篇子曰巧言令去声色足恭足過也巧好也令善也好其言善其色致飾於外務以悅人而人過於恭敬中心不仁而不主敬也左丘明恥之左丘明古之聞人也





**強項** 去声下同

強梗不服（漢）董宣為洛陽令光武姊胡陽公主蒼頭殺人蒼頭奴也宣格殺之朴打殺之也主怒訴音素帝訴告也公主既訴於帝帝怒召宣欲捶殺之宣曰縱奴殺人何以治天下即以頭叩楹柱流血破面帝令小黃門持宣謝主宣兩手據地不肯俯俯謂低頭叩地也帝敕強項令出以其不肯俯故詰之曰強項令出今谷語云搶出去又賜錢三十萬

**外強中乾** 強去声乾音干

徒有外貌（左）僖公十五年晉侯及秦戰晉侯惠公也秦穆公也穆公伐晉合戰乘如字小駟乘騎坐也小駟馬名惠王

乘鄭入也小駟鄭國之所獻也慶鄭曰今乘異産今乘異國所産之馬以從戎事以從兵戎戰鬬之事及懼而變慶鄭言本土所生之馬。則安其教訓無不如心若乘異國之馬及臨戎恐懼而變其常度張去声脉僨音憤興謂陰血随乱氣張大於脉理之間僨動興起外強中乾外雖有強形而内實乾竭進退不可君必悔之當此之際進退兩難。君必然悔恨惠公不聽。果為秦人殺之以歸遂以大子圉質于秦惠公遂逃帰晋

**色厲内荏**音忍（論）陽貨篇子曰色厲而内荏厲威嚴也荏柔弱也顔色雖嚴厲。心中且柔弱譬諸小人。其猶穿窬音俞之盜也與音余○譬喻比並也。小人。細民也。穿。穿壁。窬。踰墻言其無實盜名而常畏人知也



**乞憐**狗媚於人搖尾乞憐（韓公與韋舍人書）若俛首帖耳搖尾而乞憐者。非我志也考之韓文且無此書

**絶物**不交接人曰絶物（孟子）離婁上章齊景公曰既不能令去声。又不受命是絶物也涕出而女音遇於吴女以女嫁人也吴蠻夷之國也景公羞與為婚而畏其強故涕泣而以女與之

**耐辱**忍受人辱曰耐辱（唐）司空圖。居中條山司空覆姓也作亭曰。休休自號耐辱居士

**無厭**音烟求索音色不已謂無厭厭足也言索取無足也（左）桓公十年虞叔有玉虞叔仲雍之後。周武王封之于虞而有玉虞公求之虞公。虞叔之兄也

是求虞叔之玉獻之虞叔乃以獻於虞公玉又求其寶劍虞叔。有寶劍虞公又求之虞叔曰。是無厭也是虞公無厭足之心無厭此言虞公若得宝劍。又無厭足於心將及我必將殺我遂伐虞公乃以兵伐虞公。虞公出奔共也○此可與後第七卷忿仇類貫害之下通看

**無情**（漢）汲黯詰音吉公孫弘曰齊人多詐而無情實詰問其過也

○小見類

**井底蛙**（漢）馬援謂隗囂曰。子陽井底蛙耳子陽即公孫述馬援言其小見若蛙居井底。仰見井口之天甚小而妄自尊大後漢光武已平乱。中興天下子陽猶據蜀称帝。援既至。子陽盛陳陛衛以延援入，援辞帰故於此。謂隗囂曰子陽井底蛙耳而妄自尊大○十二年光武遣呉漢平之

**埳井蛙**（壯）秋水篇埳音坎井蛙謂東海鼈曰。吾樂至矣蛙言吾跳梁乎井幹之上入休乎缺甃之間赴水則接腋持頤蹶泥則没足滅跗蟹與科斗莫吾能若。也且夫擅一壑之水而跨坎井之楽此亦至矣夫子奚不時來觀乎東海鼈告之以東海之大樂鼈既至井左足未入而右膝已連矣於是逡巡而退告之海曰夫千里之遠不足以挙其大千仞之高不足以及其深禹之時十年九潦而水弗為加益湯之時八年七旱而崖不為加損夫不為頃久推移不以多少進退者。此亦東海楽也埳井蛙適適然驚適適驚視也規規然自失也規規失情貌蛙聞東海如是之大。則驚視其貌

（若有所失。○謏言也以此小見非實有此事也）

**韇下駒** 局趣（音促）不振如韇下駒（漢）武帝怒鄭當時曰公平生數（音朔）言魏其武安長短（竇嬰封魏其侯田蚡封武安侯鄭當時背面嘗譖毀二人之行）今日廷論局趣效韇下駒（韇車轅也駒二歲馬也駒力小牽車不動武帝怒鄭當時曰公平生數言二人之過今日對面廷論何局促而辯論不伸說韇下之駒）

**醯雞甕裏天**（醯音希）小見曰醯雞甕裏天（莊）（田子方篇）孔子見老聃（音貪○詳見前第三卷師儒類博古知今之下）告顏回曰丘之於道也猶醯雞歟（丘。孔子自謂也。蚊蚋聚醋甕中曰醯雞。孔子言丘之始於道也若蚊之居甕中知道之大也）而不微夫子之發吾覆（浮上声）也吾豈知天地之大全也（微。非也。夫子稱老聃也。發。起開也。孔子言我之於道若以盆覆蓋蚊蚋於醋甕之中。若非老聃之起發其蓋則我豈能大觀而知天地之大全也）醯雞甕裏天（引此詩復以証之）（劉師道詩）

**坐井觀天** 韓公原道（此篇排斥佛老鋪張大道執我之所是。形彼之所非使之莫掩其罪）老子之小仁義（老子。太上老君。即是老聃老子病涼惟以仁義為小者也）非毀之也（非毀害此仁義也）其見者小也（老子之見則其小也）坐井而觀天（坐井之中以觀天）曰天小者（謂天甚小）非天小也（非天之罪乃其坐井者之罪也）

**管窺天** 小見曰管見（莊）秋水篇 是直用管窺天天之大無外管中窺所見幾何 用錐音追 指地地之廣無窮。錐之所指。能及幾闊 不亦小乎極言見之至小也

**管中窺豹** （晉）王獻之。年數歲觀門生樗音樞蒱音蒲。門生獻之同門生也。樗蒱雙六也。已詳見前 曰。南風不競競。爭也。昔鄭將叛晉。晉起楚師以伐鄭。晉國師曠曰。吾驟歌北風。歌者吹律以詠八風也。言吾聞楚伐鄭。嘗歌北風。以听晉之强弱。又歌南風以聽楚之强弱。南風音微。多蕭殺之聲。楚師伐鄭必無成功。故曰不競。獻之引南風謂門生曰樗蒱無所成功。若楚之南風焉 門生曰此郎亦管中窺豹時見一斑此郎門生。指獻之也。以竹管之中視其豹不過見一斑點而已。譬喻所見極小也。門生不



務勤於事業。反以獻之為小見 獻之拂衣而去

**眼孔小** （宋太祖）嘗與趙普言。桑維翰太祖欲用維翰以從政 普曰使維翰在。陛下亦不用。維翰愛錢。上曰苟用其長。當護其短 措大音墮。苟。且也。護。救也。措。安置也。言但取用其長安天下之大事。而救護其短。以安置其大用者也 眼孔小太祖言其眼孔若小 賜與十萬貫則塞音色 破屋子矣

**斗筲之人** 筲音梢 小器（語）子路篇 子貢問今之從政者何如。子曰。斗筲之人。何足算音筭 也斗量名。容十升。筲竹器。容斗二升。算亦作筭。數也。斗筲之人。言鄙細也。此不足數之人。乃鄙細之為何可以從政也

○慶誕類

**誕彌** 誕音嘆

稱人生日誕彌令去声旦（生民詩）生名。詩篇名

載生載育音亦時維后稷育。養也。姜嫄有邰氏女。姓姜名嫄為高帝之世妃出野見巨人跡。心欣然踐之遂有娠生后稷而養之周人始生也○然巨跡之說。先儒頗疑之。蘇生云。凡物之異於常物者。取天地之氣常多。故其生也或異

誕彌厥月誕發語辭彌終也。終十月之期也。言當時后稷大終十月為生也。○綱集者。引此詩以讚凡人之生皆若此下兩節倣此

**生申**（岳降）

賀人生辰曰。生申令去声下同旦生申令辰（崧高詩）崧音松。○崧高詩篇名

崧高維嶽。駿音俊極于天叶音汀○山大而高曰崧。岳山之尊者。駿。大也。言山之高。大而尊極於天也

維嶽降神。生甫及申甫甫侯也。申申伯也。周宣王之男申伯出封于謝。而尹吉甫作詩以送之言嶽山之高大。而降其神灵和氣。以生甫侯申伯也



**紱麟** 紱音弗

紱麟祥旦（王子年拾遺）唐王嘉字子年所著

孔子生母徵在。以繡紱繫麟角紱。組也。紱也。孔子生之。先有麒麟吐玉書於鈌里人家云。水精之子系衰周而素王。徵在以綉紱繫麟角

及孔子欲絕。抱麟解紱而泣欲絕。將終也。泣。淚出而無哭声也。孔子將喪之際。抱麟解紱而泣焉

**懸弧** 音玄胡

懸弧令旦（記）內則篇

男子生桑弧蓬矢六桑弧木弓也。蓬矢箭也

以射天地四方四方東西南北也

天地四方。男子所有事也。故必先有志於其所有事也射天地四方者

期其有事於遠大也

**設帨** 音稅 婦人生日曰設帨令旦（記）內則篇 子生男子設弧於門左女子設帨於門右 弧弓也帨佩巾也以此二物為男女之表三日始抱子則射之若生女子則不射

**初度** 自稱生日曰初度之辰（離騷）皇覽揆余初度兮 皇皇考也古人自称死父為皇考覧観也揆度也。余我也初度之度猶言時節也屈原言父観我初度之時節 肇錫余以嘉名 肇始也錫賜也嘉善也言始賜其令善之名其名曰正則其字曰灵均正平也則法也灵神也均調也高平處曰原故名平而字原也○此蓋屈原迁於江南作此辞以自怨言其乃帝高陽之苗裔初生之際父伯庸觀之而賜美名兼以忠正之心反不遇賢君而遭貶



**大椿** 上壽云仰祝大椿之壽（莊）逍遙篇名 上古有大椿者以八千歲為春八千歲為秋而彭祖乃今已久特聞 今疑當作經特獨也言大椿之壽惟彭祖經歷年代之久獨得聞之彭祖事跡已見前第四卷神仙類籛鏗之下

○疾病類

**有陰德** 賀人疾起曰有陰德者如此（漢）丙吉病宣帝憂其不起 丙吉為丞相病而久故宣帝憂其不能起也 夏 遐上声 侯 複姓 勝曰此未死也有陰德者必享其樂以及子孫 有陰德者

垂福及於子孫況不能及於其身乎果愈後病果安果如夏侯勝之言

**霜露之病** 荅人問疾曰。霜露之疾(漢)公孫弘病篤篤久病至深也上書乞骸骨乞身歸家使骸骨得瘞於鄉土上報曰君不幸罹音離霜露之疾何恙音漾不已羅者遭也霜露之疾傷寒小疾也恙憂也已止也言遭小疾何乃憂患不能止也今事少燒上声閒音閑君其存精神言閒有閒暇空隙則存精神而勿劳止念慮勿費其心補醫藥以自待因賜牛酒雜帛居數月有瘳音抽視事瘳病安也視事仍理政事也

**艱疾** 難療之疾曰艱疾王羲之帖曰。蔡公遂委頓深可憂蔡公謨字明道仕至司徒頓篤也今帖作委篤言蔡公之疾已久深有可憂也當今人物耿然而艱疾若此此漢息之辭也嘆今人微耿而艱疾難療至於如此令平声人短氣短氣呼吸之間氣端也人之病深者乃如此是將死之際也

**生靈有限** 荅人問疾曰。生靈有限(梁)沈約與徐勉書曰開年以來開年新年也病增慮切患疾增加憂慮至於深切當由生靈有限人生世間為万物之靈將死之際則生靈之日有限量矣劳役過差音釵○過差過當也言劳苦役於事。而過當也總此凋竭總以此情身躰凋殘衰弱力竭矣歸之暮春暮春之歲常論之三月也(釋文云)晚年也未知孰是言自開年以來病增慮切而歸之暮春之際起居行止努力袛音之事袛敬也言常飄舉動之間

努力主敬行事時觀旁覽尚似全人努力行事之際時復觀察旁覽尚似渾全一人好而形骸力用不相綜攝綜所以扣經者原緣制經。令得開合攝管束也言其形骸無力不能如綜之管束也常須過自束持方可黽音緬勉束持者束縛把持猶言把捉渾身黽與緬同意微絲也。尋常必須過於束持此身方可微小勉強似無病之人鮮衣一卧支體不復相關支手足也不相關者不相粘着言鮮衣雖卧手足與身體皆散了帶常移孔言縛帶常移孔穴。譬喻衰弱而腰減小也人以手握臂計月小半分握以手然也臂手臂也以手然臂大率計每月減小半也

## 嘗糞

言人讒諂無恥曰嘗糞之徒（唐）郭弘霸為侍御史時大夫魏元忠病僚屬省星上声候僚屬同僚合屬之官省候問病也弘霸獨後請觀便液音亦即染指嘗以驗音彥病輕重去声○驗証也以指染糞用口嘗之以知味之甜苦賀曰甘者病不瘳音抽今味苦當愈無患元忠悪烏去声其媚暴語于朝暴語暴揚也揚其諂媚于朝



## 紙痔

音始恥（莊）如禦寇篇莊子謂宋人曹商曰秦王有病召醫破癰潰音會痤者得車一乘去声○潰散也。乘車數也。醫者能有破散癰者賞賜車二乘舐痔者得車五乘舐痔用舌舐其痔也子豈能療其痔邪言痔之穢汚不潔得車雖多。子豈能以舌舐之而療乎○此蓋曹商為宋王使秦其往也得使數車秦王說益車百乘反於宋。見莊子曰夫處窮閭阨巷。困窘織屨頸項粘槁頭面黃熟

商之所短也一悟萬乘之主從車百乘。商之所長也莊子曰秦王有病破癰者得車一乘舐痔者得車五乘所治愈日得車愈多子豈治其痔耶何得車之多子行矣○莊子言其役於人而得車如舐痔以得車。又何長之有哉

○問疾類

**無恙** 音漾 問平安曰無恙稱人疾曰貴恙 恙毒虫也入腹食人心又憂也 〈風俗通〉恙毒蟲也喜傷人古人草居露宿故相勞去声問必曰無恙 言必無恙蟲之所傷也

**膏肓** 音高荒 疾甚曰病在膏肓〈左〉成公十年 晉侯病景公求醫于秦 秦有良醫故往求焉 秦伯使醫緩為之 為猶治也。秦桓公使醫名緩者為景公治疾 未至 秦醫未至晉 公夢疾為二豎 音樹 子 景公夢疾病化為二豎子 曰 其一豎子曰 彼良醫也 彼秦緩乃醫之至良者也 懼傷我 恐秦緩治病或能傷於我 焉逃之 音烟 安所逃避之 其一曰 其一豎子曰 居肓之上 肓膈也。言居膈之上 膏之下 心下為膏蓋居心之下膈之上 若我何 彼將如我何 醫至 及秦緩至晉 曰疾不可為也 言公之疾病不可治 在肓之上 膈上 膏之下 心下也 攻之不可 攻。熨灸也言不可以火攻 達之不及 達。針也。言不可以針達 藥不至焉 至於用藥又不至焉 不可為也 言疾不可治也 公曰良醫也 景公聞秦醫言疾。與所夢同。乃曰。良醫也 厚為之禮而歸之 厚為秦醫餞送之禮而歸之秦

**河魚之疾** 腹疾曰河魚之疾（左）申叔展與遂音委無社言申叔展楚大夫也遂無社趙大夫也河魚腹疾柰何河魚之腐自內及外言趙為楚圍勢將潰破如河魚腹疾也舊註叔展言感濕而成疾也

**勿藥** 問病愈曰喜勿藥（易）無妄天雷無妄卦名也 ䷘ 九五自下而上第五爻 无妄之疾勿藥有喜程子曰九以中正當尊位下復以中正順應之可謂无妄之至也其道無以加矣疾為之病也以九五之无妄如其有疾勿以藥治則有喜也人之有疾則以藥石攻去其邪以養其正若氣體平和本無疾病而攻治之則反害其正矣故勿藥而有喜也○朱子語問九五陽剛中正以居尊位无妄之至何為而有疾曰此是不期而有此但听其自然爾久則自定所以勿藥而有喜而無疾也 象曰无妄之藥不可



試也試用也程子曰人之有妄理必脩改既无妄矣復藥以治之是反為妄也其可用乎故云不試也○朱子曰既以无妄而復藥之則反為妄而生疾矣

**造化小兒** 人疾自言為去声下同造化小兒所苦（唐）杜審言疾甚審言杜甫之祖脩文館學士宋之問等省星上声候省候訪問病也荅曰甚為造化小兒所苦指造化為小兒矜誕之辭也言遭其苦也然吾在壓公等審言言吾若不死則居公等之上而壓伏之今死固當大慰慰安也吾今既死公等固當大安不為吾之所壓矣但恨不見替人云但恨不能見有替我之人以壓衆人

**採薪之憂** 自言疾曰有採薪之憂（孟子）公孫丑下篇王使

人問疾王齊王也孟子本將朝王王使人来謂孟子曰寡人如就見之且有寒疾不可以見風托疾以召孟子。孟子亦托疾辭之曰。不能造朝王於是令醫来問疾醫来讀孟仲子對孟仲子。趙氏以為孟子之從昆弟學於孟子者也○明日孟子出弔於東郭氏醫既至仲子權辭以對曰昔者有王命言王有命而召之有採薪之憂不能造朝仲子言孟子病不能採薪亦不能造朝。採薪謳辭也今病小愈趍造於朝仲子權以應荅。又使人要孟子於途。令勿歸而造朝。以實其言也

〇凶事類

**墓木拱** 言人死期近墓拱矣(左)僖公三十二年秦伯使謂蹇叔曰秦伯穆公也。蹇叔秦大夫也。相子使人告穆公云。鄭人使我司其北門。若潛遣兵而襲鄭國可得也。穆公遂以其事問於蹇叔。蹇対言不可出師千里。鄭必知而防之的致敗。穆公不聽強出師蹇叔哭之於是穆公怒使人傳言責蹇叔云爾何知言汝有何所見而言必敗中壽人生上壽百二十年中壽百年。下寿八十年爾墓木拱矣含手曰拱言其死期將至。不可與謀也○蹇叔所造生坟而栽樹木既造生坟至是木長已拱抱手矣

**就木** 言將死曰就木(左)僖公三十三年晉公子重平声耳奔狄娶季隗槐上声將適齊謂隗曰。待我二十五年不来而後嫁對曰我又如是而後嫁則就木矣如是指二十五年也就木謂將死而入棺木矣

**易簀**音亦責下同言人臨終曰易簀之際(記)檀弓上篇曾子疾

病曾元曾申坐於足曾元曾申。皆曾子之子而坐於曾子足邊童子隅
坐而執燭隅坐不與成人並也童子曰。華而睆還上声○華者。刻畫粧飾
之美。睆者刮節目之平大夫之簀歟簀。簟也。曾子未為大夫。童子疑曾子不當寢大、
夫華睆之簀也曾子曰然言童子之言然也斯季孫之賜也曾子。謂此
簀乃季孫賜我我未之能易也易。換也。言受用未及賜而換易也元起易
簀令曾元起而易之舉扶而易之舉。起也。扶曾子而易簀反席未安
而沒易簀復寢未及安而死也

**屬纊**音燭纊言人臨終曰屬纊之際（記）喪大記篇屬纊以俟
絕氣屬。付也。纊。綿也。以綿輕而易搖動故付置於口鼻之上以為候驗其氣之有無也



**捎館**音貫死曰捎館（蘇秦傳）奉陽君捎館舍捎棄也館舍也（周礼）
五十里有市市有館館有積以待朝聘之客言奉陽君棄此館舍也

**鬼錄**言人死已登鬼錄（魏文帝）與吳質書。昔年疾疫
親故多羅音罹其災親故親戚故舊之人也羅遭也言昔年疾疫親故之人多遭其
災而死也觀其姓名。已登鬼錄人死則為鬼陰司錄寫其姓名故曰鬼錄

**闔棺**闔音曷掩棺曰闔棺。蓋棺（韓詩）學而不已已止也言李業
死窮故學不能止闔棺乃止闔閉也人死則閉棺蓋而掩之言學不能已蓋棺方可止
（晉）劉毅云。丈夫蓋棺事方定丈夫指一切之人也人在世。一日則有日
之事死後蓋棺不能為事其事方定

**朱壽之器** 棺木曰朱壽之器。梁商薨呼肱切○薨死也梁商漢順帝時拜大將軍詔賜東園朱壽之器天子下令曰詔東園作陵寢器用之所夫陵寢天子所塋之處也天子即位之元年即豫造棺槨故造作之所謂之東園朱壽之器棺椁以朱飾之此語出謝承東觀漢記全文云賜東園轜車朱壽之器銀鏤黃金匣

○死喪類

**倚閭** 親喪居倚閭親父母也有父母之喪居於倚閭記問喪篇居於倚閭父母既死哀以送之而葬既葬迎精而反不可復見盡哀而止不可入處室而即安故復居倚閭哀親之在外也親在外故不忍居於內也寢苫音覘枕音正塊魁去声○苫草也塊土塊也以草貼睡以土塊枕頭哀親之在土也親在土故不忍寢於床



**墨衰絰** 有喪墨服曰。墨衰絰衰音崔絰音迭左傳僖公三十三年子墨衰絰衰衰衣也長六尺博四寸絰麻帶也是時晉文公新卒秦師伐滑晉先軫曰秦不哀吾有喪而伐吾同姓遂興兵以伐秦。文公猶未葬而文公三子襄公先軫稱子以凶服不宜從戎故以墨染其衰而加絰也敗秦師于殽讀歸獲百里孟明視西乙白乙丙以歸所獲三人者秦師也遂墨以葬三子遂服墨衰而葬文公

**匍匐** 音蒲柏吊人喪曰。深愧不能匍匐石林燕居陳烈福州人。以鄉行音幸稱。尤為蔡君謨所知。然烈行怪多偽君謨母死讀烈往吊自其門匍匐而進匍匐伏也

手行盡力也陳烈坐居讓之門以手行而進也人問之問其何故而匍匐也曰烈荅

此詩所謂凡民有喪讀匍匐救之者也。其所為類

如此

**淚河** 弔喪曰緬音免惟淚河東注緬思貌也河水皆流東問有喪者緬想淚

如河水東注不止也 **詩話** 人問顧長康哭宣帝之狀如何曰

荅也鼻如廣莫風廣莫風北方風名鼻氣出之声如廣莫風之大者也入眼如

懸河決眼淚流如懸河言其多也聲如震雷破山哭声之大如雷破山淚

如傾河注海注瀉也淚之多如傾河瀉水如海杜甫用此云猶有

淚成河經天復東注引此詩以証淚河之說 **梅聖俞詩** 獨護



慈母喪互与抱同意淚與河水流与猶同也同河水之多河水終

有竭竭盡也乾也淚痕常在眸河水反不如淚之長流

**創鉅** 創音倉慰人遭喪曰創鉅奈何慰問也 **記** 三年問之篇創

鉅其日久譬如創之鉅者其日必久曲礼所謂頭有創則沐非創則不沐頭也痛甚

者其愈遲譬如痛之甚者其愈必遲○謂喪必三年者何義荅曰称人情之哀而立其節

文也別親疎貴賤之節服君与父皆斬衰三年服莫重斬衰時莫久于三年子生三年然後免于父

毋之懷故曰其日久其愈遲

**節哀順變** 慰人遭喪曰。敢冀節哀順變冀望也 **記** 檀弓下篇

喪禮哀感之至也孝子喪哀發于天性之極至豈可止過節哀順變

也聖人制礼以節其哀蓋順以变之也言順孝子之哀情以漸变而輕減也君子念始

之者也始彶生也生我者父母也毁而减性是不念生我者矣

**荼蓼之苦**罔極之痛荼音圖蓼音了謂喪者遽音句罹音离荼蓼

之苦。罔極之痛遽急也疾也窘也卒也罹遭也言急疾卒然遭痛苦也陳蕃

傳荼蓼之苦荼陸地上草蓼水草一物而有水陸之異今南方彶謂蓼為轉荼或以毒

溪取魚即所謂荼毒也陳蕃言已之苦毒如荼也荼蓼之苦譬喻已之毒也○陳蕃漢灵帝時加太

傅官檀權執蕃殺之故有此嘆晉孫綽詩序自丁荼毒自從也丁當也

載罹寒暑載始也言從當荼毒之若又始遭寒暑之變不勝音申哀號音毫

○言不堪之悲哀號哭作詩一首敢謂諒闇暗同之譏諒闇本天子居



喪之名此借以言不言也以伸罔極之痛罔無也借上句之言以得伸無極之痛

詩蓼篇欲報之德昊音好天罔極罔無窮極也此詩上文云。父兮生

母兮鞠我言父母之恩如此欲報之以德而其恩大如廣大之天無窮不知所以為報也

**風木之悲**荅人懈喪曰不勝音申風木之悲家語子欲

養音漾而親不待言人子之欲孝養其父母而父母不存木欲靜而風

不停勉人及時即當奉养其父母勿待父母既喪始思欲奉如樹木欲靜而風不停息也○考

之家語且無所載姑存之姑以意度之惟達者評之

**讀禮**叙有喪者起居讀禮餘閒記曲禮曰下篇居喪居喪

之礼未葬讀喪禮喪礼奠重于埜既葬讀祭禮既葬則讀祭礼以存思念

以謹春秋之祭

**為國惜身**為去声慰問也喪曰仰冀為國惜身冀希望也（隋）邳音披國公蘇威為右僕射音夜○蘇威既為僕射後封邳國公以母憂去職去職罷去官職以居母喪而丁憂此蓋為僕射之時也柴毀骨立柴毀瘦如柴骨立無肉而惟骨立上敕威曰公德行音幸高人言其至孝德行高過於他人情寄殊重去声○殊不同也寄情不同於他人哀親倍深重不必須抑割抑損也言寄情雖重必須減損其哀慟而割去思念之意為國惜身為國家理政而愛惜其身無以死傷生朕之於卿為君父朕天子自称也卿天子称蘇威也隋常言我為卿之君又如卿之父宜依朕旨以禮自存宜當依朕詔旨以礼自合存養其身

未幾音機起令去声視事未幾未久也未久而起帝令視國事

**為公痛心**為去声下同慰人用為公痛心王愆期謂陶侃曰賢子越騎酷沒賢子称陶侃之子也越騎後漢有越騎校尉侃之子名瞻守此官為廬江守蘇峻之難瞻與下壹同死故王愆期謂侃曰公之賢子越騎遭此難而沒天下為公痛心故云天下之人皆為公痛心溫嶠王愆期說侃共起兵討峻足慈父情耶代之以報仇以足公為慈父之情

○賻喪類

**賻賵**音付奉助喪儀物曰。賻賵（白虎通）漢宣帝集諸儒於白虎觀講五經異同遂成此書賻助也。賵報也。所以助生送死副音付至

意也（將儀物助生人以送死者而副至其意也）貨財曰賻（以財物資助喪家故曰賻）車馬曰賵（自乘車馬而送之故曰賵）玩好曰贈（以玩好之器物敷陳而送葬故曰贈）衣服曰襚（音遂○以衣服裝歛死者故曰襚）

**生芻一束**（芻音初）送慰儀曰生芻一束（芻草也）禮浮於物（為禮以敬為本所以齊於心也浮致於外也故於此指生芻也。夫礼主敬於心則無所見於外置生芻則有所見而知其意誠矣）徐穉（音治）字孺子。郭林宗有母憂穉往弔之置生芻一束。於閣前而去衆恠不知其故。林宗曰。此必南州高士徐孺子也詩不云乎。生芻一束其人如玉（此白駒之詩駒馬也賢者必去而不可留矣於是歎其乘白駒入空谷束生芻以秣之而其人之德美如玉也○秣者養其馬也）吾無德以當之（林宗言孺子以此禮弔無德不敢當也）



**脫驂**（音參）謝人送慰儀曰。仰蒙脫驂而賻（四馬駕一車中兩馬為服馬兩旁各一馬為驂馬）（記）（檀弓上篇）孔子之衛遇舊館人之喪（舊時館舍之主人適有喪也）入而哭之哀（孔子入哭止哭而哀出）出使子貢脫驂而賻之（脫解也解驂馬以助喪用也）子貢曰。於門人之喪未有所脫驂（門人弟子也言孔子前此未嘗脫驂以賻門人之喪也）脫驂於舊館（乃令脫驂以賻舊館）無乃以重（去聲）乎（宜其礼之大重）夫子曰。予鄉（向同）者入而哭之（謂入哭館人之時）遇於一哀而出涕（遇見）

予惡夫涕之無從也也一哀副人哀也見主人為我盡哀故孔子為之出涕也物与情称出涕則情重矣而物可以無從乎（釋文云）涕之無從言不當出涕而出涕故礼不當重而脫驂道心之所發也小子行之令子貢遂以往

○葬類

**明旌** 銘旌丹旐潮上声曰明旌（記）檀弓下篇銘書銘於旌明旌也神明人也以死者為不可別已別分辨也。已自已也。盖為死者形觀不可見与自已無分辨不知為何人故以其旗識音志之旗即明旌也。識記也。有識則可別也○孔穎達疏云士長三尺。大夫五尺諸侯七尺天子九尺若不命之士則以緇長半幅經末長終幅廣三寸半幅一尺也。終幅二尺也是總長三尺。夫愛之而錄其名敬之而盡其道。曰愛曰敬。非虛文也（釋註）緇側持切黑色也。經丑貞切。赤色也（杜牧之詩）黃壤不霑新雨露壤。土也言人埋於黃土之中而不霑濡雨露之潤澤粉書空換舊銘旌粉書者以粉寫亡者之名于旗上也

**窀穸** 音迍昔葬曰窀穸（左）獲保首領獲。得也。襄公十三年楚共王疾病告諸大夫曰。我少主楚之社稷未及習師傅之教訓。而亡師于鄢。若以諸大夫之威靈以得保全首領（釋注）鄢音烟以殁于地以善終于地下唯是春秋窀穸之事窀穸也穸夜也。厚夜尤長夜。春秋謂祭祀。長夜謂葬埋。言善終得以埋而事春秋之祭

**襄事** 葬曰襄事（左）葬定公句雨讀不克襄事禮也克能也襄成也葬定公之祭。雨阻不能成葬事之礼也

**棲神之域** 音亦 言葬事曰。歸息棲神之域陳堯佐臨終堯佐閬州人与兄堯叟皆為平章事。弟堯咨為節度使父省華為左諫議大夫自誌其墓曰有宋宋朝潁川郡名生堯佐。字希元。年八十二不為夭。官一品不為賤。卿相去声納祿不為辱祖納祿致仕不享祿不為辱祖矣可歸見父母棲神之域矣域。居也。言既死。則可歸見父母。棲神魂之居矣

**葛茀** 音弗 引棺索也（左）葬敬嬴音盈早讀無麻用葛茀

**歸窆** 音変 葬曰歸窆歸窆下棺也（記）檀弓上篇縣音玄棺而封作窆○子游問喪具送終之儀物也孔子曰称家之有無不可以富而踰礼。厚葬也家貧斂畢。即葬不待日月



之期也縣棺而封。謂以手縣繩而下之不設碑繂也。人不非之者以無財不可備礼也（釋注）繂音律

**祖載** 葬初出。柩曰祖載（白虎通）祖載者。始載柩於庭柩。棺也乘輀音而車而辭祖禰音尔輀車喪車也。祢父廟也始葬出柩於庭上駕於輀車以辭祖祢故曰祖載

○送葬類

**執紼** 音弗 送葬曰執紼（記）檀弓下篇弔於葬者。必執引音印若從柩及壙声上皆執紼引引柩車之索也。紼引棺索也鄭氏曰示助之以力○孔子曰弔葬本為助執事故必相敢引柩車。凡執引用人貴賤有數、足則餘人皆散行從柩至下棺窆時則不限人數皆悉執紼引者長遠之名故在車車行遠也紼是撥夆之義故在棺、惟撥夆不長

遠也

**送車** 言送葬者多送車千乘(漢)劇孟葬其母。送卜五千乘乘車數也

**素車白馬** 范式。字巨卿。張劭。字元伯。相與為友。元伯寢疾而卒寢疾者居家病卧於床也范式忽夢元伯呼曰。巨卿。吾已某日死。某日葬。子未我忘。豈能相及子元伯托夢呼巨卿也。言子若未能忘我各能相及為送我葬乎式更音庚服朋友之服更換也。上服字。穿着也。下服字。衣服也。○朋友之服儀礼喪服(記註)朋友有同道之恩相為服緦。蓋三月之服也。隔居千里感夢即以為然馳往赴之馳。疾驅也。往赴而送之式未及到而喪已發引引注見前既至壙將窆喪既至穴將下棺而柩不肯進。其母撫之撫持也。持其棺曰元伯豈有望耶。遂停柩。移時乃見素車白馬。哭而來。母曰是必巨卿也。式因執紼而引柩於是乃前出本傳

○祭奠類

**填池**音奠徵今人祭文中借用填池(記)檀弓上篇曾子弔於負夏曾子弔喪於衛負夏之地主人既祖填池喪之主人既祖祭於席載柩于車。而徹遺奠矣推柩反之而行禮曾子弔乃推挽其柩。而回以受弔遂行奠哭之礼

**瓜奠** 言致祭曰瓜奠之寵行將自天或曰行瓜奠之禮。不期而至。自天而降

萊國公杜如晦薨音轟〇薨。死也〈唐〉太宗詔虞世南為製碑文。後因食瓜美愴然悼之悼。傷也。太宗食瓜愴然思之而傷悼遂輟音拙食輟止也止而遂不食瓜也遣使音事奠于靈座遣使者以瓜祭奠于如晦靈席此奠發於一時之思慕非常設之祭故云行將自天

**挽歌** 挽歌。是挽柩者歌〈搜神記〉挽歌者喪家之樂。執紼者相和聲也莊子曰紼謳以生必於斥苦。司馬彪注云。紼。引棺索也。斥疏緩也苦用力也引紼所以有謳歌者為人有用力不齊故促急之也

有薤露蒿里二章〈漢〉田橫門人作門人田橫弟子也〇薤露歌云。薤上露何易晞露晞明朝更復落。人生一去何時歸〈蒿里歌云〉蒿里誰家地聚歛精魄無賢愚鬼伯乙何相催促人命不得少踟躕



橫自殺門傷之悲歌田橫齊王廣叔也。漢高祖既得天下橫與其從五百餘人入海島。高祖召之曰。橫來大者王小者侯不來且牽兵誅橫與二客乘馬至洛陽户鄉遂自殺。以王禮葬之二客亦自殺從之五百人在島中者聞之皆自殺〇〈杜氏通典云〉田橫死。吏不敢哭。但隨柩叙哀後代相承以為挽歌

言人如薤上露易晞滅晞日氣乾也亦謂人死精魂歸於蒿里蒿里。猶言黃泉李延年分薤露送王公貴人蒿里。送士大夫庶人使挽者歌之

**哀些**蘇箇切 或言挽詩曰。哀些〈選〉宋玉招魂曰。光風轉蕙氾音泛崇蘭些些。語辭。宋玉招魂語末皆云些。故挽歌曰哀些

**埋玉** 挽詩言葬曰埋玉（晉庾亮將葬何充嘆曰。埋玉樹於土中。何人。情能已美人既葬埋。更有何人之情意能已而不思念乎

**脩文** 挽文人死言脩文地下。三十國春秋。蘇韶卒。後從弟節晝見韶。節因問幽冥事。韶曰。顏回。卜商。見為地下修文郎

**白玉樓** 挽文人死。言白玉樓成（唐李賀將死有緋衣駕赤虬音求名賀緋衣。絳色之衣也。虬。龍子無角也。神人着緋衣駕赤虬而召賀緋衣曰。帝成白玉樓。立召為記。天上差音釵樂音洛不苦也差稍也言稍可樂而不苦也



## ○墳墓類

**一抔土** 抔步侯切墳。土也（張釋之傳。愚民取長陵一抔土抔手掬也。張釋之。漢文帝時為廷尉。廷尉持法得其平。有人盜高祖廟玉環。捕獲其人下廷尉。廷尉問罪。釋之奏當棄之於市以示衆。文帝怒曰。吾欲滅其族何以治輕罪耶。釋之曰。盜宗廟器。則滅之族。儻令愚民取長陵一抔土。何以加其法乎。帝許之。○長陵。高祖所葬之墓。帝王之墓曰陵

○駱賓王為。徐敬業移檄音吸云檄符檄二尺書也唐高宗崩武后廢太子為廬陵王。而自立徐敬業等起兵討之移檄數其罪一抔之土未乾音干○言高宗葬未久而土猶未乾六尺之孤安在二歲半為一尺。六尺。十五歲也。孤指廬陵王也。言高宗葬猶未久而天子已廢今安在耶。從以狄仁傑若諫遂迎還即位。是為中宗皇帝

**神道** 墓前開道曰神道（漢）中山簡王焉詔大為修冢塋開神道

**翁仲** 冢間石人曰翁仲（水經註）鄗杭入声南千秋亭壇廟東枕道有兩石翁仲鄗常山縣光武即位。改為鄗邑（魏）明帝鑄二銅人號翁仲（山谷詩）往者不可言往者已死往矣既死則不可言矣古栢守翁仲古老栢樹之下惟有翁仲

**長眠** 冢中人曰長眠（廣記）鄭友路逢一冢有二竹。鄭為詩曰。冢上兩竿竹。風吹常嫋嫋堯上声。嫋嫋長弱貌冢中人賡音庚賡續也曰下有百年人長眠不知曉



**馬鬣封** 鬣音列稱墳曰馬鬣封（記）檀弓上篇子夏曰昔夫子言之曰吾見封之此言封土有此四者之形也。封築土為墳也若堂者矣如堂之基四方而高也見若坊防音者矣坊堤也。上平旁殺而南北長也見若覆浮去声夏屋者矣覆蓋也夏屋旁廣而卑也見若斧者矣云馬鬣封之謂也若斧者上狹如刃較之上三者皆用功力多而難成。此則儉而易就故俗謂之馬鬣封。馬鬃鬣之上其肉薄封形似之也（釋文）殺若斧刃上狹小以其卑小而儉故從之

**長夜室** 墓曰長夜室（土饅頭）（東坡贈章默詩）童子親未葬言章默父母猶未葬餘生抱羸疾羸病而且瘦也言章默餘年此生而抱羸疾也朝吟噎鄰里噎乙憂不能息也。朝則呻吟悲愴使鄰里之人憂不能息也夜

佳城 稱人墳地曰佳城（漢）滕公駕至東都門馬

悲鳴不進命掘之得石槨有銘科斗書云

佳城鬱鬱三千年見

白日吁嗟滕公居此室。公嘆曰天乎吾死其安此

于後葬其地滕公即夏侯嬰也

牛眠 稱得地葬牛眠（晉）陶侃將葬家人忽失牛

一牛不知所在。遇一老父謂曰前岡見一牛眠污

其地若葬位極人臣。侃尋牛得之因

葬焉（後果三公）



壽藏 稱人生預造墳曰壽藏（唐）姚崇自立壽藏於萬安山

北曰安居穴以土為床曰化臺

書言故事大全卷之五終